El éxodo a Kansas

por Corrine Wenthworth • ilustrado por E. Wolf

Orlando   Boston   Dallas   Chicago   San Diego

Visita *The Learning Site*

www.harcourtschool.com

En el año mil ochocientos setenta y nueve,
una fiebre se extendió por la tierra.
Pero no era la clase de fiebre que duele
o da calor. Esta fiebre fue un sueño
contagiado al acabar la guerra.
Una fiebre que se extendió entre una gente:
vivir en libertad para siempre,
y al fin ser dueños de su tierra.

Era el éxodo de los afroamericanos:
se juntaron todos, familiares y amigos.
El rumor se extendió entre padres y hermanos,
y aquel viaje dejó de ser un sueño imaginado.
Emprendieron hacia el Oeste su larga marcha,
guiados por la voz de sus futuros trigales.
Esa llamada llegaba desde Kansas,
adonde acudieron hombres a millares.

Los afroamericanos que así marcharon
recibieron el nombre de *exodusters*.
Fueron a la tierra prometida de Kansas:
una tierra soñada de generosas cosechas.

La Guerra Civil les valió la libertad.
Después de siglos de penurias y grilletes,
estos hombres y mujeres volvieron a empezar.
El gobierno de Estados Unidos les propuso
ocupar tierras de la inmensa pradera.
Para los afroamericanos era la gran oportunidad,
de abandonar la triste sombra de la tierra ajena,
de recoger con su esfuerzo sus propias cosechas.

Estados Unidos se enorgullecía, al fin, de abrir
esa puerta anhelada hacia la libertad.
La tierra se ofreció a todos aquellos
que la cultivaran durante cinco años.
El precio: cinco dólares en dinero
y en sudor y lágrimas, cinco inviernos.
Pero los afroamericanos no temían al trabajo,
e hicieron de su sueño una realidad.

Algunos llegaron en carruajes, otros a pie,
algunos llegaron en barcazas, otros en tren.
Los *exodusters* abandonaron el Sur,
y llegaron a Kansas como pudieron.
Alentados por la imagen de un sueño:
la estampa del pionero negro.
Sí, el pionero afroamericano
se disponía a someter la indómita frontera.

La llamada "Fiebre del éxodo a Kansas",
llevó a muchos *exodusters* a la tierra prometida.
Era el momento del nuevo principio:
muchos llegaron, otros tantos se quedaron.
¿Qué posibilidades les ofrecía la vasta Kansas,
de rehacer la vida en un extraño estado del Oeste?
Podrían trabajar en pueblos y ciudades
o en los campos que les concediesen.

Algunos *exodusters* eran gente de ciudad.
Decían que el campo no era para ellos.
Llegaron a los pueblos del este de Kansas
para buscar trabajos afines a sus aptitudes.
Los que deseaban cultivar las nuevas tierras
se fueron a las praderas del Oeste.
Deseaban vivir su sueño, dijeron,
cultivando aquella tierra prometida.

Al oeste de Kansas, los *exodusters* hallaron
terrenos parcelados que podrían reclamar.
Sobrevivieron un largo y arduo viaje.
Ahora se enfrentaban a nuevos desafíos.
Como otros pioneros, no tardaron en padecer
las penalidades de la vida en las praderas.
Pero aprendieron a vivir en armonía,
e hicieron de esta tierra su nuevo hogar.

La primera tarea fue construir su morada,
mas la madera era un bien escaso.
Pero los *exodusters* no se dieron por vencidos:
con barro y raíces de hierba fresca,
hicieron bloques de firme adobe y
cortaron los bloques en ladrillos.
Aquellos hombres no tenían madera, pero
edificaron sus casas con la piel de las praderas.

11

Traten de imaginar cómo vivían
los *exodusters* de las praderas.
Sus casas de adobe les dieron nombre.
El tenaz adobe cubría sus tierras de cultivo.
Era tan duro que partía los arados de hierro,
y tuvieron que emplear el duro filo del acero.
¡Qué sudores tuvieron que padecer!
Sólo los más fuertes sobrevivieron.

12

A veces las praderas también les sonreían,
en momentos de paz y de vida en armonía.
Días de dulce olor a hierba y brisas suaves
en los que se confundían el cielo y las praderas.
Pero también tuvieron que soportar sequías,
inundaciones, terribles nevadas e incendios feroces.

A pesar de todo florecieron pueblos y ciudades
en la vasta amplitud de las praderas.
En los pueblos había tiendas y almacenes,
donde los pioneros compraban provisiones.
Algunos *exodusters* decidieron proseguir el viaje,
otros regresaron al Sur, donde nacieron.
De todas las ciudades que fundaron,
sólo ha sobrevivido una: Nicodemus.

Los fundadores de Nicodemus se quedaron.
Trabajaron duro y llegaron a ser prósperos.
El adobe dio paso a casas de caliza,
y luego de madera, con porche y pérgolas.
Padre regresa del trabajo, y los niños
vuelven de la escuela a cenar un guiso
que madre preparó con frutos de la huerta.
¡Qué dulce sabor el de la libertad!

Fue una fiebre que llegó del Oeste
y que curó a una gente malherida.
El éxito al fin les extendió la mano y la fiebre
de un sueño les guió a una nueva vida.
Cualquier pionero habría sonreído al contemplar
la sonrisa libre de un hombre en su propia tierra.
Cualquier pionero habría sonreído al contemplarla
en los tiempos de los *exodusters*.